Si-sa-yong-o-sa, Inc.
55-1, Chongno 2-ga, Chongno-gu
Seoul 110, Korea

Si-sa-yong-o-sa, Inc., New York Office
115 West 29th Street, 5th Floor
New York, NY 10001
Tel : (212) 736-5092

Si-sa-yong-o-sa, Inc., Los Angeles Office
3053 West Olympic Blvd., Suite 208
Los Angeles, California 90006
Tel : (213) 387-7105/7106

ISBN 0-87296-012-9

Printed in Korea

Tree Boy
나무도령

Adapted by Mark C. K. Setton
Illustrated by Kim Woo-young

Si-sa-yong-o-sa, Inc.
Seoul • New York • Los Angeles

A very long time ago, in a far away place, there stood a large oak tree.

Every summer, a young fairy used to come down from Heaven and play underneath its branches. She loved to sit in the shadow of the tree, watching the sunbeams dance around her and the green leaves nodding in the wind.

Then she would lean against the trunk and sing fairy songs, and the tree would rustle its leaves in pleasure.

As the years went by the fairy and the tree fell in love, and finally they decided to become husband and wife. Not long after, the fairy gave birth to a handsome baby boy. The baby grew up to be tall and strong like his father, and his parents named him Tree Boy.

옛날 옛적 아주 먼 곳에 참나무가 한 그루 서 있었읍니다.

해마다 여름이면 선녀 아가씨가 하늘나라에서 내려와 그 나뭇가지 아래서 놀곤했읍니다. 선녀 아가씨는 나무 그늘에 앉아 그녀 주위를 맴돌며 춤추는 햇살과, 바람에 고개를 끄덕이는 푸른 나뭇잎들을 바라보기를 좋아했읍니다.

그러다가 선녀가 나무기둥에 기대 앉아 선녀의 노래를 부르면 나무는 기뻐서 잎사귀를 살랑살랑 흔들어댔읍니다.

여러 해가 지나자 선녀와 나무는 서로 사랑하게 되었으며 마침내 결혼하기로 결심했읍니다. 얼마 후 그 선녀는 아들을 낳았읍니다. 이 아들은 아버지처럼 키가 크고 씩씩하게 자랐으며 부모들은 이 아이에게 나무 도령이라는 이름을 지어주었읍니다.

Now, as everybody knows, fairies aren't allowed to leave Heaven for too long. So when Tree Boy grew big enough to look after himself, the sad day came when his mother had to leave him and go back to the land of the fairies.

The following summer the weather turned very rough indeed. A fierce wind began to blow, and then the rain came. It poured down day after day. It rained, and rained, and still it rained. Rivers broke their banks and valleys turned into lakes. All the towns and villages disappeared under the rising waters of the flood.

Even the oak tree, which stood on a high hill, couldn't stand against the fierce wind and rising water. He was about to be pulled up by the roots and swept away in the current.

그런데 여러분도 잘 알고 있듯이 선녀들은 너무 오랫동안 하늘나라를 떠나 있을 수는 없읍니다. 그래서 나무 도령이 혼자 살 수 있을 만큼 자라자 도령의 어머니인 선녀가 도령의 곁을 떠나 선녀들이 사는 곳으로 되돌아가야 할 슬픈 운명의 날이 다가왔읍니다.

그 이듬해 여름은 날씨가 그야말로 지독히 사나왔읍니다. 거센 바람이 불기 시작하더니 그 다음엔 비가 왔읍니다. 비는 날마다 억수같이 퍼부었읍니다. 비는 쉬지않고 계속해서 내렸읍니다. 강둑이 무너지고 계곡은 호수로 변해버렸읍니다. 온 동네와 계곡은 넘쳐오르는 홍수의 물결에 휩싸여 떠내려 갔읍니다.

높은 언덕 위에 서 있던 참나무조차도 사나운 바람과 넘치는 물살을 이겨낼 수 없었읍니다. 참나무는 뿌리채 뽑혀 흐르는 물길에 막 휩쓸려 떠내려갈 참이었읍니다.

Then he called out to Tree Boy, "My son, I'm going to fall and be carried away from here. Get on my back, and I'll save you from the flood."

With a sharp crack, the oak tree broke and crashed into the water. As soon as the tree floated to the surface again, Tree Boy grabbed a branch and climbed on. Then the flood waters covered the hill and carried them far away from home.

Even the highest mountains were swallowed up by the flood. All animals and people disappeared without a trace.

The whole world had become a great ocean, and in the middle of this ocean floated Tree Boy and his poor father.

6

그러자 그 나무는 나무 도령에게 소리쳐 말했읍니다. "애야, 나는 쓰러져 여기서 떠내려가게 될 것이다. 내 등에 타거라, 그러면 너를 홍수로부터 구해주마."

날카로운 소리를 내면서 그 참나무는 부러져서 물속으로 떨어졌읍니다. 아버지 나무가 물위에 떠오르자마자, 나무 도령은 가지를 움켜잡고 올라탔읍니다. 그러자 홍수의 파도가 그 언덕을 뒤덮었으며 아버지 나무와 나무 도령을 집에서 아주 멀리 떨어진 곳으로 떠내려 보냈읍니다.

아무리 높은 산들도 이 홍수에 잠겨버렸읍니다. 모든 동물과 사람들이 흔적도 없이 사라졌읍니다.

온 세상이 하나의 커다란 바다가 되었으며, 이 넓은 바다 한가운데 나무 도령과 불쌍한 아버지 나무가 떠있었읍니다.

Tree Boy felt lonely and afraid. He had no idea where the water would carry them.

"When will we reach dry land?" he asked his father in a trembling voice.

"One day the water will dry up, you'll see," answered his father. "Until then we'll just have to float around."

"When will the water dry up?" continued Tree Boy.

"It'll take time, son," replied his father. "After all, it's a very big flood."

Tree Father and Tree Boy passed the time talking like this as they floated on and on.

One day they saw something in the water. As they drew nearer, they could see thousands of tiny ants struggling in the flood. Gasping for breath, the queen ant cried out to them, "Help us! We're drowning! Please help us!"

나무 도령은 외롭고 무서웠습니다. 나무 도령은 아버지 나무와 함께 물결따라 어디로 흘러가게 될지 알 수 없었습니다.

"언제나 마른 땅에 도착하게 될까요?"하고 나무 도령이 떨리는 목소리로 아버지 나무에게 물었습니다.

"물이 마르는 날이면 보게 되겠지"하고 아버지 나무가 대답했습니다. "그때까지 우리는 물위를 떠돌아다니는 수밖에 없단다."

"언제면 물이 마르게 될까요?"하고 나무 도령은 계속 물었습니다.

"얘야, 물이 마르려면 오랜 시간이 걸릴 것이다. 아주 큰 홍수였지않니." 하고 아버지 나무가 대답했습니다.

아버지 나무와 나무 도령은 한없이 떠돌면서 이같은 얘기를 주고 받으며 시간을 보냈습니다.

어느날 아버지 나무와 나무 도령은 물속에서 무언가를 보았습니다. 좀더 가까이 다가가 보니 그것은 수천 마리의 작은 개미들이 물바다 속에서 발버둥치고 있는 광경이었습니다. 여왕개미가 숨을 헐떡이면서 아버지 나무와 나무 도령에게 "살려주세요! 빠져 죽겠어요! 제발 좀 살려주세요!"하고 외쳤습니다.

Tree Boy felt pity for the poor ants wriggling in the water.

"Father," he asked the tree, "Will you let these ants ride on your back?"

"Of course I will," answered the tree. "Let them climb on."

"Come and join us," Tree Boy called out to the ants.

The ants swam over to the tree and crawled on. When they were all safely on board, they bowed their little heads in thanks to Tree Boy.

The queen ant looked very embarrassed. "You saved our lives," she said, "but we have nothing to give you in return."

"Don't worry about that," answered Tree Boy modestly, "it was the least I could do."

10

나무 도령은 물속에서 몸부림치고 있는 개미들이 불쌍한 생각이 들었읍니다.

"아버지, 이 개미들을 아버지 등에 태워줄까요?"하고 나무 도령이 아버지 나무에게 물었읍니다.

"물론이지. 개미들을 올라오게 하렴."하고 아버지 나무는 대답했읍니다.

"우리한테로 와요." 나무 도령은 개미떼게 소리쳐 말했읍니다.

개미들은 나무에게로 헤엄쳐 와서 기어 올라왔읍니다. 개미들은 모두 안전하게 나무 위에 올라타자, 나무 도령에게 고맙다는 뜻으로 조그마한 머리를 숙여 절을 했읍니다.

여왕개미는 어찌할 바를 몰라했읍니다. "저희들의 목숨을 구해주셨는데도 보답으로 드릴 게 아무 것도 없군요."하고 여왕개미가 말했읍니다.

"그런 건 걱정하지 마세요." 나무 도령이 겸손하게 대답했읍니다. "별것도 아닌데요."

They hadn't gone very far when they heard a loud buzzing sound.
Looking up, they saw a large swarm of mosquitoes passing over-
head.

"Can we rest on your tree?" the mosquitoes begged Tree Boy.
"We've been flying for days. Our wings are aching so much we
can't bear it anymore. If we don't rest them we'll fall into the
water and die."

"Father," asked Tree Boy, "Will you let these poor mosquitoes
rest their wings on your back?"

"Of course I will," replied the tree, "let them
come."

So all the mosquitoes came and rested their
aching wings on the leaves and
branches of the great oak tree.
They were very thankful
to Tree Boy and his
father for their kindness.

그들은 얼마 가지 않아 다시 시끄럽게 붕붕거리는 소리를 들었읍니다. 위를 쳐다보니 많은 모기 떼들이 머리 위를 날아가고 있었읍니다.

"나무 위에 앉아 좀 쉴 수 있을까요?"하고 모기들이 나무 도령에게 애원했읍니다. "우리들은 여러 날을 쉬지 않고 날았어요. 이젠 날개가 아파서 더이상 참을 수가 없어요. 날개를 쉬지 않으면 우리는 물속에 떨어져 죽을거예요."

"아버지, 이 불쌍한 모기들에게 아버지 등에 앉아 날개를 쉬라고 할까요?"하고 나무 도령이 물었읍니다.

"물론이지,"하고 아버지 나무가 말했읍니다. "모기들을 오게 하렴."

그래서 모기들은 모두 이 큰 참나무의 나뭇잎과 가지 위에 앉아서 아픈 날개를 쉬게 했읍니다. 모기들은 나무 도령과 아버지 나무가 베푼 친절에 고마와 어쩔줄 몰랐읍니다.

A little while later they passed someone struggling in the water. It was a young man about the same age as Tree Boy.

"Help!" he cried out to them, "I'm sinking! Please help me!"

Tree Boy thought the young man would drown unless they rescued him quickly. "Father," he asked again, "can he join us too?"

But this time his father replied, "No, son. If you let him on too, we'll all sink."

The young man called out again from the water. "Save me!" he begged. "Please save me! I can't swim any further!"

"Please Father, take him with us," Tree Boy insisted. "If we leave him, he'll drown."

얼마후, 참나무와 나무 도령은 누군가 물속에서 몸부림치고 있는 곳을 지나게 되었읍니다. 그것은 나무 도령과 비슷한 나이 또래의 소년이었읍니다.

"살려주세요!" 그 소년은 그들을 향해 소리쳤읍니다. "빠져 죽을 것 같아요! 제발 살려주세요!"

나무 도령은 만약 자기네들이 빨리 구해주지 않으면 그 소년이 곧 빠져 죽을 거라고 생각했읍니다. "아버지,"하고 나무 도령은 다시 물었읍니다. "저 아이도 올라오게 할까요?"

그러나 이번에는 아버지 나무가 이렇게 대답했읍니다. "안된다, 얘야. 만약 그 소년도 올라오게 하면 우리 모두는 가라앉아 버릴거야."

그 소년이 또다시 물속에서 소리쳤읍니다. "살려주세요!" 그 소년이 애원했읍니다. "제발 저를 좀 구해주세요! 더 이상 헤엄칠 수가 없어요."

"부탁이에요 아버지, 저애를 우리가 구해줘요."하고 나무 도령이 간청했읍니다. "그 애를 그냥 놔두면 빠져 죽을거예요."

"No," answered the tree, "we can't take him with us. Otherwise we'll all drown."

Tree Boy felt miserable. He couldn't bear to leave the helpless boy to die in the flood. So he asked his father one more time. "Father, please take pity on the boy."

The oak tree fell silent for a moment. Then he let out a long sigh. "Well, alright," he said finally. "But if we all sink, don't tell me I didn't warn you."

Tree Boy reached out for the struggling boy and pulled him out of the water.

Well, the tree didn't sink, and the two boys, the ants and the mosquitoes floated on and on, day after day, to nobody knew where.

16

　"안돼,"라고 참나무는 대답했습니다. "그 애를 그냥 놔두는 수밖에 없어. 그랬다간 우리 모두가 빠져 죽을 테니까."

　나무 도령은 그 소년이 불쌍했습니다. 도령은 의지할 곳 없는 그 소년을 물에　빠져 죽게 버려둘 수가 없었습니다. 그래서 나무 도령은 아버지에게 다시 한번　간청했습니다. "아버지, 제발 저 소년을 불쌍히 여겨주세요."

　참나무는 한동안 침묵을 지켰습니다. 그리고는 긴 한숨을 내쉬었습니다. "음, 좋다." 마침내 참나무가 말했습니다. "그러나 우리 모두가 가라앉는다 해도 날 원망하진 마라."

　나무 도령은 허우적거리는 소년에게 손을 내밀어 물에서 건져 주었습니다.

　그런데도 나무는 가라앉지 않았으며, 두 소년과 개미들, 그리고 모기들은 알 수 없는 곳으로 며칠을 계속해서 흘러갔습니다.

Then, one morning, Tree Boy spied something on the horizon. The mosquitoes flew off to find out what it was. Soon they were back, buzzing with excitement.

"An island!" squeaked the chief mosquito. "We're heading straight for it!"

The ants, who couldn't see beyond their front legs, had no idea what all the fuss was about. But they found out soon enough. Luckily the wind kept blowing in the right direction, and in a short time they had all safely landed.

그러던 어느 날 아침, 나무 도령은 수평선 위에서 무언가를 보았읍니다. 모기들이 그 것이 무엇인지 알아보기 위해 날아갔읍니다. 모기들은 곧 흥분하여 붕붕거리면서 돌아왔읍니다.

"섬이에요!"하고 대장모기가 소리쳤읍니다. "우리는 지금 섬을 향해 똑바로 가고 있는 중이에요."

개미들은 자기들의 앞다리 너머 그 이상을 볼 수 없었기 때문에 이 모든 법석이 무엇 때문인지 알지 못했읍니다. 그러나 곧 개미들도 그 이유를 알게 되었읍니다. 다행히 바람은 계속 그들이 가는 방향으로 불었으며, 얼마 후에 그들은 모두 안전하게 섬에 닿았읍니다.

This island wasn't really an island, though. It was a very high mountain which had been covered with water except for the top, so it looked just like an island.

On the very top of this mountain, in a small cottage, lived an old woman with her daughter and a servant girl. There was no other house on the island, so Tree Boy, and the other boy he had rescued, stayed there and helped the old woman with the farm work.

As the months went by, the flood dried up and the sun began to shine again. But all the towns and villages, and all the people in them, had completely disappeared.

Everything had been washed away by the flood. The only people left in the whole world were the old woman, the two girls, Tree Boy and the other boy.

22

그러나 그 섬은 사실은 섬이 아니었읍니다. 그것은 꼭대기만 빼놓고 물에 잠긴 매우 높은 산이었읍니다. 그래서 꼭 섬처럼 보였던 것입니다.

그 산 맨 꼭대기엔 작은 오두막집이 한 채 있었는데 그곳엔 할머니 한 분이 딸과 하녀를 데리고 살고 있었읍니다. 그 섬에는 그 집밖에 다른 집이 없었읍니다. 그래서 나무 도령과 그가 구해주었던 소년은 그곳에 머물면서 할머니의 농사일을 거들어주었읍니다.

여러 달이 지나자, 홍수진 물이 빠지고 태양이 다시 빛나기 시작했읍니다. 그러나 모든 마을과 계곡, 그리고 그곳에서 살던 사람들은 완전히 사라졌읍니다.

모든 것이 홍수에 씻겨 내려갔읍니다. 이 세상에 남은 사람은 그 할머니와 두 소녀와 나무 도령, 그리고 도령이 구해줬던 소년뿐이었읍니다.

Over the years, the two girls grew up and the time came for them to marry. The old woman had no problem finding them husbands, since the only other people in the world were Tree Boy and the young man he had rescued from the flood.

But the problem was, who should marry whom? The old woman had grown to love both Tree Boy and the young man, and she found it more and more difficult to decide whom her beautiful daughter should marry.

Now the young man secretly wanted to marry the old woman's daughter. He imagined that the old woman would choose the most clever of the two to be her daughter's husband. So he thought of a trick to make Tree Boy seem very vain and stupid.

One day he went to the old woman and told her a clever lie.

"You know," he whispered, "Tree Boy told me he has an unusual skill, but he's too shy to tell you about it. If you mix a whole sack of wheat with sand, in only half a day he'll put all the wheat back in the sack without losing a single grain. Why don't you ask him to show you? Then you'll see how clever he is for yourself!"

The old woman was amazed to hear this. She couldn't wait to see such a wonderful trick, and the next day she asked Tree Boy to show her.

Of course Tree Boy had no idea how to sort out a whole sack of wheat mixed with sand. But the old woman insisted, and he didn't want to disappoint her. He thought he would lose her trust and respect if he didn't try.

So with a heavy heart, he took a large sack of wheat and scattered it all over a sandy patch of ground. Then he realized it was an impossible task.

Even when he bent down, he couldn't tell the sand from the wheat. Tree Boy sat down on the ground and held his head in his hands.

Just then he felt a sharp prick on his ankle. He looked down and saw a little ant biting him.

"You have a problem?" asked the ant in a tiny voice.

"What was that you said?" asked Tree Boy, bending down.

"I said, do you have a problem?" repeated the ant.

"It's none of your business," answered Tree Boy a little impatiently.

여러 해가 지나자, 두 소녀는 자라서 시집갈 나이가 되었읍니다. 할머니는 두 소녀의 신랑감을 찾는데 아무런 어려움도 없었읍니다. 왜냐하면 이세상에 남은 사람이라곤 할머니와 두 소녀를 제외하면 나무 도령과 도령이 홍수로부터 구해준 젊은이뿐이었기 때문입니다.

그러나 문제는 그들을 어떻게 짝짓는가 하는 것이었읍니다. 할머니는 나무 도령과 젊은이를 둘다 아끼고 있었기 때문에 예쁜 딸을 누구에게 시집보낼 것인지를 결정하기가 점점 더 어려워졌읍니다.

그런데 그 젊은이는 속으로, 할머니의 딸과 결혼하기를 바라고 있었읍니다. 그 젊은이는 할머니가 두 사람 중에서 더 똑똑한 사람을 자기 사윗감으로 고를 것이라고 속으로 생각했읍니다. 그래서 그는 나무 도령이 매우 보잘것 없고, 멍청하게 보이도록 하려고 한 가지 꾀를 생각해냈읍니다.

어느날 그는 할머니에게 가서 교묘한 거짓말을 했읍니다.

"할머니,"하고 젊은이가 속삭였읍니다. "나무 도령이 저한테 자기는 비상한 재주를 한 가지 갖고 있지만 너무 부끄러워 할머니한테 그 얘기를 할 수 없다고 말했어요. 만약 자루 하나에 밀과 모래를 섞어주면 그는 불과 반나절만에 밀을 단 한 톨도 흘리지 않고 모래와 가려내어 자루에 담아 갖고 올거예요. 나무 도령에게 그 재주를 보여달라고 하지 않으시겠어요? 그러면 그가 얼마나 영리한지 직접 아시게 될텐데요!"

할머니는 이 이야기를 듣고 놀랐읍니다. 할머니는 그처럼 놀라운 재주가 보고 싶어 잠시도 기다릴 수가 없었읍니다. 그래서 다음날 할머니는 나무 도령에게 그 재주를 보여달라고 요청했읍니다.

두말할 것도 없이 나무 도령은 모래가 섞인 밀을 어떻게 가려내야 할 지 알 수가 없었읍니다. 그러나 할머니는 계속 재주를 보여달라고 재촉하였으며 도령은 할머니를 실망시키고 싶지 않았읍니다. 나무 도령은 만약 자기가 재주를 보이려 하지 않는다면 할머니의 믿음과 사랑을 잃게 될 것이라고 생각했읍니다.

그래서 나무 도령은 근심에 가득차서 큰 밀 자루를 들고 나가 그것을 모래 땅위에 흐트러 놓았읍니다. 그리곤 거기서 밀을 골라낸다는 것이 불가능한 일이라는 사실을 깨달았읍니다.

아무리 허리를 굽히고 내려다 보았지만 모래와 밀을 구별할 수 조차 없었읍니다. 나무 도령은 땅바닥에 앉아 두 손으로 머리를 감싸쥐었읍니다.

바로 그때 나무 도령의 발목이 따끔거렸읍니다. 내려다보니 작은 개미 한 마리가 자기를 물어뜯고 있는 것이었읍니다.

"어려운 일이 있으세요?"하고 개미가 작은 목소리로 물었읍니다.

"뭐라고 그랬지?" 나무 도령은 몸을 굽히며 물었읍니다.

"어려운 일이 있느냐고요?" 개미가 다시 물었읍니다.

"네가 상관할 일이 아니야,"하고 나무 도령은 초조한듯이 대답했읍니다.

But the ant replied, "A long time ago you saved our forefathers from drowning in the flood. We ants will do anything to show you how grateful we are. If you tell us what the trouble is, maybe we can help you."

So Tree Boy told the ant about his problem.

"Oh, you don't have to worry about that," replied the ant. "Wait a moment, please." Then he scuttled away somewhere. A few minutes later, thousands and thousands of ants came streaming towards Tree Boy from every direction.

Soon they were all running back and forth putting the wheat in the sack, and in no time at all the job was done. There wasn't a single grain of sand in the wheat sack, or a single grain of wheat left in the sand.

그러자 개미가 말했읍니다. "오래전에 도령님은 우리 조상들이 홍수에 빠져 죽을 뻔했을 때 구해주셨잖아요. 우리 개미들은 도령님께 얼마나 고마와 하고 있는지를 보여주기 위해서라면 무슨 일이든 할 작정이에요. 어려운 일이 무엇인지 우리에게 말씀해 주시면 저희가 도와드릴 수 있을지도 몰라요."

그래서 나무 도령은 그 개미한테 자기의 어려운 사정을 얘기했읍니다.

"오, 그 일이라면 염려하실 것 없어요,"라고 그 개미가 말했읍니다. "잠깐만 기다리세요." 그리곤 그 새끼 개미는 어디론가 황급히 사라졌읍니다. 조금 후에 수많은 개미들이 사방에서 나무 도령을 향해 줄지어 몰려왔읍니다.

곧 그 개미들은 앞뒤로 뛰어다니며 밀을 자루 속에 집어넣었읍니다. 그러자 순식간에 모든 일이 다 끝났읍니다. 밀 자루 속에는 단 한 알의 모래도 없었으며, 모래땅에는 단 한 톨의 밀도 남아있지 않았읍니다.

When the old woman came back, she was astonished to see the job already done. She praised Tree Boy's wonderful skill and respected him even more than before.

The young man was very disappointed. He had planned to make Tree Boy look stupid, but exactly the opposite thing had happened.

Now the old woman still couldn't make up her mind who should marry her daughter. So she thought of an unusual plan.

She would ask the two girls to wait in two different rooms of the cottage without the young men knowing who was in each room. Then she would ask each of the young men to choose one room and marry the girl he found there.

할머니가 돌아와서 그 일이 완전하게 끝난 것을 보고 놀랐읍니다. 할머니는 나무 도령의 놀라운 재주를 칭찬하고는 그를 전보다 더 훌륭하게 생각했읍니다.

그 젊은이는 몹시 실망했읍니다. 그는 나무 도령을 멍청하게 보이려고 꾀를 짜냈었던 것인데 오히려 정반대의 일이 일어났기 때문입니다.

그런데 할머니는 아직도 딸을 누구와 결혼시킬 것인지를 결정하지 못했읍니다. 그래서 할머니는 색다른 계획을 생각해냈읍니다.

할머니의 계획은 두 젊은이에게는 어느 방에 누가 있는지를 비밀로 하고, 두 소녀보고 각각 오두막의 다른 방에서 기다리라고 하는 것이었읍니다. 그런 다음 두 젊은이에게 방을 하나 골라 그곳에서 만나게 될 소녀와 결혼하라고 하는 것이었읍니다.

The old woman waited till nightfall. Then she told the young men to wait outside, sent her daughter to one room and the servant girl to the other. After that she called the young men and this is what she told them:

"You two should now marry and have many children to fill this empty world. I don't know which of you should marry whom, so I will leave the decision in the hands of fate. Each of you choose one room, and you may marry the girl you find waiting there."

Tree Boy became very anxious. He thought the old woman's daughter was a charming and beautiful girl, and he wanted to marry

　할머니는 밤이 되길 기다렸습니다. 그 다음 할머니는 두 젊은이에게는 바깥에서 기다리라고 말하고, 딸과 하녀를 따로따로 다른 방에 보냈습니다. 그렇게 한 후 할머니는 두 젊은이를 불러 다음과 같이 말했습니다.

　"자네 둘은 이제 결혼을 해서 이 텅빈 세상을 가득 채울 많은 자식들을 낳아야 하네. 자네 둘 가운데서 누가 누구하고 결혼해야 하는 지는 나도 알 수 없네. 그래서 이 결정을 운명의 손에 맡기기로 할 생각이네. 자네 둘은 각각 방을 하나씩 고르고 거기서 기다리고 있는 처녀와 결혼하게 될 것일세."

　나무 도령은 매우 초조해졌습니다. 그는 할머니의 딸을 매력적이고 아름다운 처녀라고 생각하고 있었으며, 그래서 그 처녀와 결혼하고 싶었습니다. 그러나 도령은 그 처

her. But he had no idea which room she was in. He stood in the
dark courtyard wondering what to do. "Should I go to the left one?"
he thought, "Or should I go to the right one?"

Just at that moment he heard a buzzing sound in his ear. It was
a little mosquito, who had been watching all along.

"Bzzz! Bzzz! Go to the room on the right!" whispered the mos-
quito. "Bzzz! Bzzz! Go to the room on the right!"

Tree Boy went straight to the right-hand room, as his little friend
had told him. There, in that very same room, sat the old woman's
beautiful daughter.

So the two young couples were married, had many children, and
filled the earth with people again.

30

녀가 어느 방에 있는지 알 수 없었읍니다. 나무 도령은 어찌할 바를 모른 채 어두운 뜰 안에 서 있었읍니다. "왼쪽 방으로 가야하나, 아니면 오른쪽 방으로 가야하나?"하고 그는 생각했읍니다.

바로 그 순간 그는 귀에서 붕붕거리는 소리를 들었읍니다. 그것은 이 광경을 쭉 지켜보고 있었던 작은 모기였읍니다.

"붕! 붕! 오른쪽 방으로 가세요!"하고 새끼 모기가 속삭였읍니다. "붕! 붕! 오른쪽 방으로 가세요!"

나무 도령은 그의 작은 친구가 일러준대로 오른쪽 방으로 곧장 걸어갔읍니다. 바로 그 방안에는 할머니의 아름다운 딸이 앉아 있었읍니다.

이렇게 해서 두 젊은 쌍은 결혼을 했으며 많은 자식들을 낳아 이 세상을 다시 사람들로 가득채웠읍니다.

A Word to Parents:

The theme of many Korean folk tales revolves around the beauty and harmony of nature, and this story is no exception.

"Tree Boy" is a delightfully simple story of friendship between man and nature, and affection between father and son. The story begins when a young fairy descends from Heaven and falls in love with a tall oak tree. Eventually they marry and have a son whom they name Tree Boy. However, their new-found happiness is short-lived. The fairy, as all fairies must do, returns to Heaven, and a short while later there is a terrible flood which proves too much for the old oak tree. As the tree breaks in two, he calls out to his son to climb on, and together they are swept away in the flood.

During their voyage into the unknown, Tree Boy and his father provide refuge for some drowning ants, a young man, and a swarm of exhausted mosquitoes. After several months the flood subsides and they are washed ashore onto an island which is really the summit of a tall mountain. On this island lives an old woman with her beautiful daughter and a servant girl. The time comes for the two girls to marry, but who should marry whom?

The ungrateful young man rescued from the flood devises an ingenious trick to make Tree Boy seem a fool. Through this the young man hopes that the old woman will choose him to be her daughter's husband.

But at the last moment an army of ants, whose parents were rescued from the flood, help the Tree Boy out of the sticky situation. At the end of the story a grateful mosquito completely turn the tables in favor of Tree Boy. Thanks to his multi-legged friends, he finally wins the hand of the old woman's daughter.

By Mark C. K. Setton

Mark C. K. Setton

Mark C.K. Setton was born in 1952 in Buckinghamshire, England. He graduated from Sungkyunkwan University in 1983 and is presently completing his graduate studies in Oriental Philosophy at the same institution. He has spent the last 10 years in Japan and Korea translating and interpreting for various organizations including UNESCO and the Professors' World Peace Academy of Korea. During that time he has also contributed to various periodicals and newspapers on topics ranging from intercultural exchange to Confucian thought.